KB171782

| 어서 오세요.
풋사과 체험실에 오신 걸 환영합니다.
부디 여기서 그날의 기억을 꺼내보세요.

to. ______________

____

____

____

____

____

____

____

from. 풋사과 체험실

제 1장 5

– 풋사과 체험실

– 쨍쨍한 여름

눈부시도록 아름다웠던 여름에는
끝없이 펼쳐진 바다가 있고

청춘의 여름이 스쳐 지나가며
밀려오는 우울을 삼켰다.

나에게는 조금 멍들은 여름이었다.

- 수없는 여름

수없이 돌고 도는 이 여름에서 끊임없이 앓고 살랑였다. 푸른 하늘이 빛나던 그 여름에서.

–가장 아름다울 때 피는 꽃

내 불안의 시발점은 누군가의 묵언이었고
내 우울이 오는 곳에는 항상 네가 있었다.

유치한 말을 전하는 것보다
그게 더 편했다.

-나의 우울에게

유독 그런 날이 있다.
끊임없이 잠식되는 우울에게 감정을
잡아먹히는 그런 날.
나는 대게 그런 감정에 휩싸여 산다.
우람하게 자란 나무숲 사이에서 바람이
기척을 내듯
볼을 스치고 지나간다.
우울이 지나가는 중이다.

– 청춘 (靑春)

추를 청. 봄 춘.
우리의 청춘은 그렇게 녹아간다.

-낙원 속 울타리

어느 장마에 스쳐 지나간 사랑.
그토록 갈망하던 이 여름에서
낙원 속 울타리에 갇혀버린 하찮은 꼴은.

그날 무한한 우주에게 말했다.
다시는 이런 사랑이 없으리라고.
또 이런 계절은 없으리라고.

— 빙수

시원하게 찰랑이는 바다 옆 작고 낡은
빙수 가게에는
사람들에게 숨겨진 비밀이 하나 있다.
그 빙수가게에서 빙수를 먹으면 사랑이
이루어진다는
그저 사랑이 필요한 사람들이 지어낸 터무니
없는 소문.

살살 밀려오는 바람을 맞으며
빙수를 음미했다.
지금 우리는 여름 끝에 서있다.

그리고 레몬에이드는 달달했다.

-어느 7월에는

어느 7월에는 나무의 색이 너무 이뻤고
어느 7월에는 물에 비치는 내가
너무 선명했고
어느 7월에는 하늘이 너무 맑았고
어느 7월에는 그림자가 너무 깔끔했다.

또 어느 7월에는 여름 방학이 다가왔고
또 어느 7월에는 네가 있었다.

내가 보낸 모든 7월은 너무 이뻤다.

– 의미

너는 사랑이 뭔지 알아?
나는 너를 보면서 항상 사랑을 느껴.
그런 의미 없는 감정을.

- 그런 날

햇살은 쨍하고 바람은 시원한 그런 날이었다.
아스팔트는 뜨겁게 달궈졌고 시끄러운
매미소리가 도시 전체를 가득 채웠다.
그냥 그런 날이었다.

— 8개월

있잖아.
가장 사랑했던 사람의 얼굴을
기억할 수 있는 건 8개월 정도래.
나도 수없는 여름에서 너를 그릴 테니
모델로 있어줘.

– 시리우스

너무나도 맑고 깜깜한 밤하늘에
소원을 실려 보낸다.

부디 저 달처럼 어두운 곳에서도 가장 밝게
빛날 수 있길.

– 슬슬

나는 슬슬 끝나가는 봄이 싫다.
나는 슬슬 다가오는 여름이 싫다.

– 작은 것

너무 작은 것까지 사랑하지 말라는 말에
강가에 피어있는 노란 꽃을 사랑했고
골목을 지나는 하얀 강아지를 사랑했고
마당에 무성하게 자란 잡초를 사랑했고
겨울에 만들었던 눈사람을 사랑했으며

내가 사랑한 모든 것들이 떠나가는
순간까지는 사랑하지 못했다.

-너의 여름이 뭐길래

나를 아프게 하는 건지.

– 잠식

무섭다는 생각에 잠식돼 버리면
도전할 수 있는 용기도 물거품이 된다.

— 꿈

꿈을 꿨다.
어느 8월에 청명한 하늘과 넓은 초원.
페인트가 다 벗겨진 우체통.
스케치북에 그려진 알 수 없는 고양이.

꿈을 꿨다.
멍청한 어느 눈사람의 꿈을.
다가오는 여름에 결국 녹아버린 눈사람을.
파렴치하게 여름을 사랑한 눈사람의 꿈을.

– 한 여름

한 여름, 우리에게는 시끄럽고
모든 장면에 청춘이 묻어났다.

– 바다

찰칵.
출렁이는 바닷물이 밀려와 모래와 함께
발을 삼켰다.
우리는 타이머가 돌아가는 카메라를 보며
처음이자 마지막인 우리의 추억을
상기시켰다.

– 정（情）

이렇게 정을 줘서 떠나가는 거구나.
혼자 사랑을 다 줘서 이렇게 슬픈 거구나.

― 나락

다시 한 번 나락으로 떨어져봐야 알 거 같다.
한 사람에게 모든 애정을 다 주는 건 잔인한
짓이라는 걸.

– 향기

여름아 와라.
살아있는 모든 것들을 향기와 열기로 채워라.

- 터널

이 터널을 지나가면
있었던 일들도 전부 지워지며
행복만 남기를.

– 세계

그날은, 그러니까 너의 세계의
발을 들였던 그때는
세상이 나에게 주는 선물이었을까
재앙이었을까.

억척스럽게도 행복하지 않았음을
불망해야했다.

— 한 번도

나는 너를 한 번도 좋아한 적이 없다.
나는 너를 한 번도 좋아하지 않은 적이 없다.

– 태양

네가 태양처럼 빛나서
하필 맑은 저 하늘이 너를 탐냈다.

네가 태양처럼 뜨거워서
하필 높은 저 하늘이 너를 탐냈다.

네가 태양처럼 빛나서
하필 푸른 저 하늘이 너를 탐냈다.

– 영원

끝없이 이어지며
시간을 초월하여 변하지 않는 것.

우리는 그걸 영원이라 불렀다.

하지만 무색하게도 아무도 영원을 믿는 사람
이 없었다.
영원한 자는 이 세상에 없으니.

– 과거형

사랑했어.
고마웠어.
보고 싶었어.

왜 내가 듣고 싶어 몸부림친 모든 말들은
전부 과거형이었는지.

– 우체통

빨간 우체통 안에 쌓인 편지와 먼지들.
편지로는 전할 수 없는 마음들이
한데 모여 뒤엉켜있다.
낡아버린 우체통 안 버려진 편지들처럼.

– 소녀의 마음

소녀의 마음은
그 무엇이 와도 바뀌지 않기에
그 무엇보다도 소중한 것 일 수도 있다.

- 고립

이 여름에 갇혔다면
이 여름에 고립됐다면

그것은 더 좋은 의미일 수도 있다.

우리 그냥 여기서 살아가자.
이 곳에서 살아 숨 쉬자.

– 외계인

어느 날 외계인이 찾아와 말했다.
너를 이 세상에서 구원해주겠노라고.
나와 함께 가자고.

어느 날 나를 찾아온 외계인에게 말했다.
사실은 네가 구원받고 싶은 거냐고.

외계인은 울적한 얼굴만을 보여주었다.

– 꽃그늘

노르스름하게 져가는 노을은 보다보면
오늘 아침, 느지막하게
눈을 떠 보인 내가 보인다.
나는 오늘도 꽃그늘 아래,
고인 물을 홀짝인다.

– 묘약

만약 마녀가 이 글을 읽고 있다면,
나에게 묘약을 만들어 주세요.
이 계절이 영원할 수 있게요.

– 표정

미처 알지 못했는데
사랑한다고 속삭이는 너의 표정이
그렇게 슬플 줄이야.

– 파도

파도가 밀려오면 어렵게 쌓은 모래성도
힘없이 주저앉을 뿐이다.
파도 앞에선 나도 모래성처럼 나약해진다.

파도가 더 이상 소원이 담긴 유리병을
삼키지 못 할 때 즈음에
그때 즈음에 우리 살며시 유리병을 띄워 올려
보자.

– 사랑했던 모든 것들에게

나는 바다에 널려있는 작은
조개껍데기를 사랑했고
하늘에 수없이 많은 구름을 사랑했다.
또 17살의 봄, 찾아온 설렘을 사랑했고
18살의 가을, 찾아온 이별을 사랑했다.

– 추억

우리의 추억은
어리고
청춘이고
투박하며
쓰라렸다.

– 마음

텅 빈 나의 마음을
너로 채워주라.
새어 나갈 수 없도록
가득하게.

– 피어나라

이런 전쟁터 같은 곳에서 부디 너는
밝게 피어오르기를.

이런 멸망한 세계에서 부디 너는
높게 뛰어오르기를.

– 가난한 마음

가난하디 가난한 아픈 마음으로
너를 품었다.
우리가 사진 속 남겼던 사진들은
오히려 나를 더욱 가난하게 만들었다.

– 지구

어디선가 귀를 막았을 때 들리는 소리가
지구가 공전하는 소리라고 들은 적 있다.
터무니없는 소리였지만, 그렇게 믿고 싶었다.

양쪽 귀를 전부 막아서라도
지구가 나를 버린 게 아니라는
확신이 필요해서.

– 여름의 기억

높이 뜬 해를 보고
튀어 오르는 물방울을 보고
하얄게 날리는 꽃가루를 보고
이상한 소리를 내며 돌아가는
선풍기를 보았다.
나는 그날의 여름을 보았다.

| 안녕히 가세요.
풋사과 체험실이었습니다.

2024. 02. 08
또 오세요.

풋사과 체험실

발 행 | 2024년 02월 29일
저 자 | 장예빈
펴낸이 | 한건희
펴낸곳 | 주식회사 부크크
출판사등록 | 2014.07.15(제2014-16호)
주 소 | 서울특별시 금천구 가산디지털1로 119 SK트윈타워 A동 305호
전 화 | 1670-8316
이메일 | info@bookk.co.kr

ISBN | 979-11-410-7449-4

www.bookk.co.kr